Petites Enquêtes trop ch

CM et 6
10-12

Le Club des tigres et le Temple du tonnerre

15 énigmes à décrypter avec la loupe !

Auteur : Thomas C. Brezina
Traducteur : Joël Falcoz
Illustratrice : Naomi Fearn

hachette
ÉDUCATION

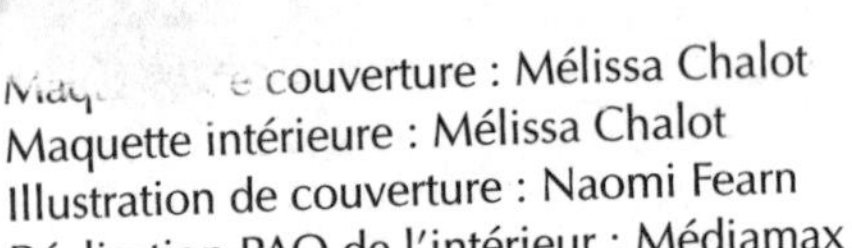

Maquette de couverture : Mélissa Chalot
Maquette intérieure : Mélissa Chalot
Illustration de couverture : Naomi Fearn
Réalisation PAO de l'intérieur : Médiamax

Title of the original German edition:
Ein Fall für dich und das Tiger-Team: *Im Donnertempel*

www.schneiderbuch.de
Text: Thomas C. Brezina
www.thomabrezina.com
Title and inside illustrations: Naomi Fearn

Crédit des images : fond matière bois ; paire de lunettes ; trombone ; punaise ; boussole ; crayon : © Shutterstock.

ISBN : 978-2-01-170108-4

www.hachette-education.com

Sommaire

Alexandre

Nom : Alexandre – fort comme un tigre
Mes qualités : avant, j'étais plutôt dodu ; aujourd'hui, j'ai des muscles d'acier. Très sportif, j'aime le foot et l'athlétisme. Je suis également doué pour faire le clown.
Mon plus gros défaut : je ne suis pas toujours aussi courageux que je le prétends.
Ce que j'adore : les récréations, mon lapin – Benny –, le saut en parachute, les pizzas, le thé glacé et les bonnes plaisanteries.
Ce qui m'exaspère : les tricheurs et les casse-pieds.
Ma devise : « En avant toute ! »

Nom : Chloé – agile comme un tigre
Mes qualités : je collectionne avec passion toutes sortes d'objets. Je suis quelqu'un qui préfère prendre les choses en main, parce que les garçons sont parfois un peu mollassons (mais ne le répétez pas !).
Mon plus gros défaut : d'après mes amis, je suis une vraie tête de mule, mais ce n'est pas ma faute si j'ai du caractère !
Ce que j'adore : les fringues à la mode, la glace à la noisette, cuisiner de bons petits plats, l'équitation et la danse.
Ce qui m'exaspère : les jérémiades, les vacances trop courtes, les adultes qui ne me prennent pas au sérieux.
Ma devise : « Soyons zen, mais fermes ! »

Nom : Théo – rusé comme un tigre
Mes qualités : je suis un mordu d'informatique et de technologie. Je prends un grand plaisir à inventer des engins télécommandés.
Mon plus gros défaut : là où je me trouve, c'est toujours le désordre !
Ce que j'adore : les hamburgers, ma super-tablette numérique dont j'ai décuplé les capacités, ma sacoche remplie de gadgets.
Ce qui m'exaspère : les disputes, Chloé lorsqu'elle joue les donneuses de leçons (mais ne le lui dites pas !). Et je ne supporte pas qu'on range ma chambre.
Ma devise : « Persévérer jusqu'à ce que ça marche ! »

Mes notes
d'enquête

Chapitre 1

Tête réduite et autres surprises

— Et maintenant, mise aux enchères[1] du lot numéro 37 : une tête réduite d'Afrique centrale, annonça l'homme en costume noir qui se tenait derrière un pupitre, un petit marteau à la main. Mise à prix : dix euros. Qui dit mieux ?

— Je suis vraiment contente d'assister à cette vente aux enchères ! murmura Chloé avec enthousiasme.

Ses amis, Théo et Alexandre, partageaient son avis. Les Tigres se trouvaient dans la maisonnette bancale de Jean Cassard. Capitaine au long cours, Cassard avait sillonné, pendant plus de cinquante ans, toutes les mers du globe. Au gré de ses voyages de par le monde, le marin avait amassé nombre d'objets insolites, et son étonnante collection allait d'une tête réduite rapportée d'Afrique à un collier esquimau orné de dents d'ours polaire.

Le capitaine Cassard était mort trois mois plus tôt. Dans son testament, il avait stipulé que tous ses biens devraient être vendus aux enchères. L'argent ainsi récolté serait ensuite reversé à l'association de protection de la nature « Sauvez les baleines ».

— Vingt-deux euros ? lança le commissaire-priseur[2] à la ronde. Pas d'autre enchérisseur ?

---

1. **aux enchères :** en vente publique.
2. **commissaire-priseur :** personne qui s'occupe d'une vente aux enchères.

Personne ne leva la main.

L'homme frappa du marteau :

— Une fois ! Deux fois ! Trois fois ! Adjugé à la dame au chapeau bleu !

— C'est dingue, commenta Alexandre. Tu lèves le bras et, pendant quelques secondes, tu es le propriétaire d'un requin empaillé ou d'une longue-vue qui a peut-être appartenu à Christophe Colomb.

— Passons au lot suivant, poursuivit le commissaire-priseur. Mise à prix : cinq euros. Qui dit mieux ?

Alexandre tendit le bras.

— Six euros pour le jeune homme au tee-shirt vert !

Théo leva la main à son tour.

— Sept euros pour son voisin de droite !

Ne voulant pas être en reste, Chloé fit un signe au commissaire-priseur et l'enchère monta aussitôt à huit euros.

34
36
40
27
30
33
29
32
28

— À présent, laissons les autres gens enchérir, chuchota-t-elle à ses amis en pouffant.

— Qui dit mieux ? s'enquit l'homme en costume noir.

Les Tigres regardèrent autour d'eux, mais aucune main ne se leva.

— Une fois ! Deux fois ! Trois fois ! Adjugé à la jeune fille aux cheveux blonds !

Chloé avala sa salive avec difficulté.

— Euh… mais je ne voulais pas acheter ça, bredouilla-t-elle, mal à l'aise.

Fébrilement, elle se mit à fouiller les poches de son pantalon. Elle n'avait qu'un billet de cinq euros.

— Ne t'inquiète pas, la rassura Théo : nous avons les trois euros manquants.

Chloé poussa un soupir de soulagement. Elle aurait été extrêmement gênée de ne pas pouvoir payer.

— Au fait… qu'avons-nous acheté ? demanda-t-elle.

Question

Quel objet les Tigres ont-ils acquis aux enchères ?

Ils ont acheté le lot numéro 38, constitué de sept poissons-globes empaillés.

Ils ont mis sept poissons -globe empaillés

Mes notes
d'enquête

Chapitre 2

Une découverte inattendue

Les Tigres payèrent la somme due et reçurent leur lot.

— Euh... et que fait-on de ces trucs ? interrogea Théo, perplexe.

— Ils puent tellement qu'on ne peut même pas les offrir à quelqu'un, dit Alexandre en grimaçant.

— Ils sont peut-être creux, intervint Chloé. Si c'est le cas, on pourrait mettre des bougies à l'intérieur pour en faire des lampions.

— Ce serait parfait pour une soirée « Halloween », ricana Théo.

Les garçons n'avaient visiblement aucune envie de toucher les poissons-globes. Chloé ramassa leur nouvelle acquisition en marmonnant :

— Vous avez peur qu'ils vous mordent ? Vous voyez bien qu'ils sont empaillés. Typique des garçons ! On ne peut rien en tirer !

Vexé, Alexandre prit une longue inspiration.

— N'exagère pas ! répliqua-t-il. C'est toi qui as acheté ces trucs, pas nous. D'accord ?

Les jeunes détectives quittèrent la maison du capitaine Cassard et s'arrêtèrent quelques instants sur le perron. Soudain, la porte s'ouvrit derrière eux et un petit homme rondelet sortit en trombe. Distrait, il bouscula Chloé, qui lâcha les sept poissons. Ceux-ci se cassèrent comme du verre en heurtant le sol.

Chloé était sur le point de protester lorsqu'elle aperçut quelque chose au milieu des débris.

— Hé ! regardez ça, les garçons !

Dans chaque poisson était dissimulé un vieux rouleau de papier jauni, entouré d'un ruban rouge et marqué d'un sceau. Les détectives s'empressèrent de ramasser les parchemins. Théo déroula l'un d'eux. Les yeux écarquillés, il poussa un long sifflement.

— C'est une carte au trésor ! s'écria-t-il.

À peine avait-il prononcé ces mots que le petit homme dodu reparut. Il avait le visage aplati, comme si on lui avait trop tiré les oreilles, un nez pointu et des lèvres pincées.

— Je vous rachète ces parchemins pour la somme de cent euros, souffla-t-il d'un ton mielleux en se glissant entre les trois adolescents.

Les Tigres n'en crurent pas leurs oreilles.

— Vraiment ? balbutia Alexandre, stupéfait.

L'homme hocha la tête avec énergie.

Chloé pressa les parchemins contre sa poitrine et lança :

— Non, ces rouleaux ne sont pas à vendre !

L'inconnu augmenta son offre :

— Deux cents euros... Trois cents... Quatre cents !

Théo et Alexandre commençaient à imaginer ce qu'ils pourraient faire avec une telle somme d'argent.

— Non, murmura Chloé à ses amis. Si ce type est autant intéressé par ces vieux parchemins, c'est qu'ils doivent avoir de la valeur. Pas question de les vendre !

Les garçons hochèrent la tête.

— Nous sommes désolés, annonça Théo à l'acheteur potentiel, mais nous gardons ces parchemins.

Les détectives tournèrent les talons et s'éloignèrent d'un pas rapide sous le regard furieux du petit homme rondelet.

Trop absorbés par leur découverte, ils ne remarquèrent pas les deux inconnus qui les prirent aussitôt en filature.

Chloé, Théo et Alexandre enfourchèrent leurs vélos et s'élancèrent. Ils se rendirent dans leur cachette, qui se trouvait sous le restaurant chinois *Au Tigre d'or*. L'entrée secrète du repaire était située derrière une grande statue de tigre. Les trois compagnons étaient les seuls à savoir qu'il fallait appuyer sur les canines de l'animal en bois pour ouvrir la porte dissimulée.

Ils se glissèrent dans le passage et refermèrent derrière eux. Au même moment, une voiture se gara à une vingtaine de mètres de là. Déconcertés, le conducteur et son passager balayèrent la rue du regard en se demandant comment les trois adolescents avaient pu disparaître aussi brusquement.

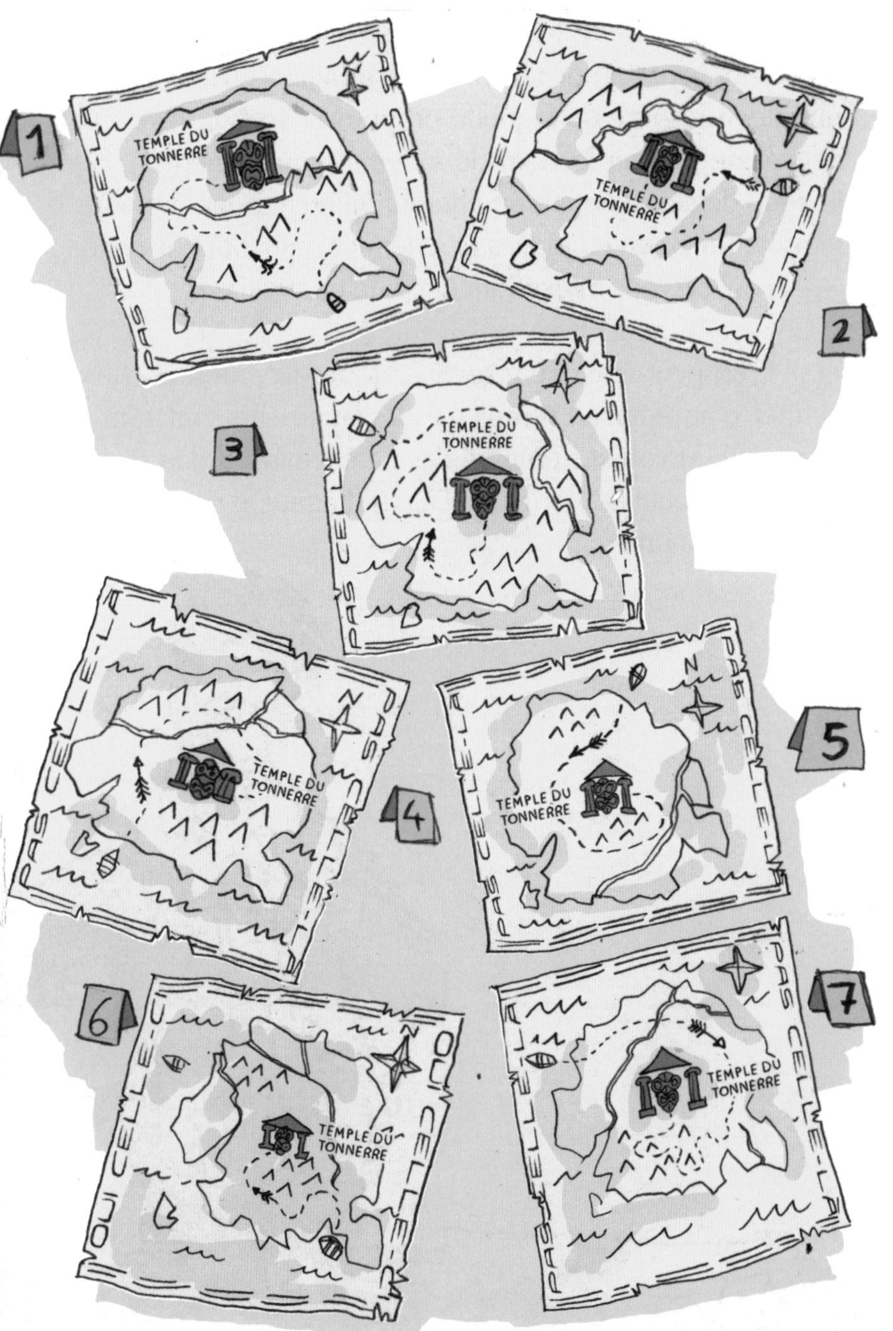
1
TEMPLE DU TONNERRE
PAS CELLE-LÀ
2
TEMPLE DU TONNERRE
PAS CELLE-LÀ
3
TEMPLE DU TONNERRE
PAS CELLE-LÀ
4
TEMPLE DU TONNERRE
N
PAS CELLE-LÀ
5
TEMPLE DU TONNERRE
N
PAS CELLE-LÀ
6
TEMPLE DU TONNERRE
N
7
TEMPLE DU TONNERRE
PAS CELLE-LÀ

Dans leur cachette, les Tigres ouvrirent tous les parchemins et les déroulèrent sur une table. Sur les rouleaux était représentée une île, au centre de laquelle on pouvait voir un mystérieux édifice qui portait le nom de « Temple du tonnerre ». Mais chaque dessin indiquait un chemin différent pour atteindre le temple. Théo contempla les parchemins d'un air pensif et dit :

— Pouvez-vous m'expliquer ce que ça signifie ?

Chloé avait une idée.

— C'est peut-être une ruse. Si ça se trouve, un seul chemin permet d'accéder au temple, et les autres ne sont que des pièges. Si un voleur s'empare des parchemins, il doit d'abord découvrir lequel est l'original. En cas d'erreur, il risque de finir au fond d'un ravin.

— Mais, si tu as raison, Chloé, laquelle de ces cartes est la bonne ? interrogea Alexandre.

Chloé le poussa sur le côté et se mit à étudier les cartes avec Théo.

— Nous allons bientôt le savoir, déclara-t-elle en souriant.

Cependant, Alexandre ne voulait pas se laisser évincer de la sorte. Il tenait à montrer à ses camarades qu'il n'était pas plus bête qu'eux. Lorsqu'il mettait un peu plus de temps à comprendre quelque chose, ils le taquinaient toujours en disant qu'il avait dû recevoir un coup d'haltère[1] sur la tête.

1. **haltère :** instrument de culture physique constitué de deux masses métalliques reliées par une barre.

Cela l'agaçait terriblement. Décidé à trouver la solution avant eux, il regarda par-dessus leurs épaules, puis désigna soudain du doigt l'un des parchemins.

— Voici la vraie carte, annonça-t-il avec fierté. Seul ce chemin-là permet d'atteindre le temple. Je peux même le prouver !

Question
Quelle carte Alexandre
a-t-il désignée ?
Alexandre
a vu que la carte 6
est la véritable
carte au trésor. Sur
son bord, on peut lire
« oui celle-ci ! »

Mes notes
d'enquête

Chapitre 3

L'affaire se corse

— Tout ça devient de plus en plus mystérieux ! s'exclama Chloé avec fébrilité. Vous croyez qu'il y a un trésor dans le Temple du tonnerre ?

Théo et Alexandre acquiescèrent.

— Il a peut-être été caché là-bas par le capitaine Cassard, avança Théo. Ou les cartes ont été dessinées par un pirate, et le capitaine les a dénichées dans un port exotique lors d'une escale.

— Si ça se trouve, Cassard ne savait même pas ce qu'il y avait dans les poissons-globes, objecta Alexandre.

Pensive, Chloé demanda :

— Mais sur quelle île se trouve le temple ? Vous avez une idée ?

Les garçons secouèrent la tête négativement.

Théo saisit sa tablette numérique et traça les contours de l'île avec un stylo spécial sur l'écran tactile, où les lignes apparurent aussitôt. Décidément, la tablette était un appareil génial. Théo demanda ensuite à son petit ordinateur de localiser l'île dont il s'agissait. Malheureusement, après une poignée de secondes, une fenêtre s'ouvrit pour annoncer : « Aucune réponse trouvée. »

Déçus, les Tigres soupirèrent.

— Bon, je dois rentrer à la maison pour faire mes devoirs de maths, dit Chloé.

Comme Alexandre voulait aller s'entraîner, Théo resta seul dans la cachette. Il décida d'examiner la carte au trésor d'un peu plus près. Pour ce genre de recherches, il avait installé un mini-laboratoire dans lequel il pouvait effectuer différentes expériences. Il se mit au travail…

Deux heures plus tard, Chloé avait terminé tous ses devoirs. Les mathématiques ne faisaient pas partie de ses matières préférées.

Elle s'étira, puis rangea son livre et son cahier dans son sac. À cet instant, la sonnerie de la porte d'entrée retentit.

— Chloé, mon cœur, va ouvrir s'il te plaît ! cria sa mère depuis la salle de bains. Je suis en train de sécher mes cheveux !

Agacée, l'adolescente grimaça. Elle ne supportait pas qu'on l'appelle « mon cœur ». Ses amis le savaient ; seule sa mère continuait de le faire. Elle descendit l'escalier en pestant à voix basse.

Chloé ouvrit donc la porte d'entrée et recula d'un pas, surprise. Sur le seuil se tenait un étrange personnage : coiffée d'un chapeau de feutre sans bord et vêtue d'une longue cape noire qui flottait autour de ses épaules, une femme la dévisageait à travers ses lunettes de soleil.

Elle portait également des gants jaunes sur lesquels étaient glissées des bagues ornées de pierres étincelantes.

L'inconnue pointa un doigt vers Chloé et proféra d'une voix menaçante :

— Jeune fille, je dois t'avertir ! Les étoiles m'ont révélé une terrible vérité. Ton achat de cet après-midi fera ton malheur. Tu cours à ta perte ! Il n'existe qu'un seul remède : tu dois te débarrasser de ces parchemins. Donne-les ou vends-les, mais garde-toi bien de les jeter à la poubelle. Sinon, le malheur te collera à la peau pour toujours. Suis mon conseil, jeune fille, si tu veux éviter le pire. Crois-moi, les étoiles ne m'ont jamais menti !

La femme porta son regard vers le ciel, puis leva brusquement les bras et renversa la tête en arrière. Effrayée, Chloé claqua la porte. Un instant plus tard, elle se dit qu'elle devait impérativement savoir qui était cette femme. Elle rouvrit la porte, mais l'inconnue avait disparu.

Chloé scruta la rue, mais la mystérieuse visiteuse s'était volatilisée.

Elle commença à transpirer à grosses gouttes. Avec des doigts tremblants, elle s'empara du téléphone et composa le numéro de portable de Théo. Le mobile était un cadeau d'anniversaire du grand-père de celui-ci, qui payait également les factures téléphoniques tant que celles-ci restaient raisonnables.

Pendant ce temps, Théo avait examiné le vieux parchemin. Il avait palpé attentivement le papier et découvert plusieurs endroits au toucher plus rugueux, presque collant. Il avait également constaté que le plan avait été tracé à l'encre. Lorsqu'il avait chauffé avec précaution la carte à l'aide d'un petit fer à repasser, il n'avait rien remarqué de particulier.

Comme il feuilletait pensivement ses livres, il eut soudain une idée.

— Je suis sûr qu'il y a un message sur cette carte, murmura-t-il. On a certainement employé une technique particulière pour le rendre invisible. Mais je sais comment le lire...

Question
De quel type d'écriture
invisible peut-il s'agir ?
Comment peut-on la faire apparaître ?
C'est de la cire
de bougie ! À l'aide
d'un pinceau, Théo doit
étaler un peu de cacao
en poudre sur la carte afin
de lire les inscriptions
cachées.

Chapitre 4

Chasse à la carte au trésor

Théo avait trouvé un moyen de faire apparaître l'écriture invisible lorsque son portable sonna. Et cela fonctionnait ! Il put bientôt lire de nouvelles indications sur la carte.

Pendant ce temps, la sonnerie du téléphone continuait à retentir avec une obstination tenace.

— Qu'y a-t-il ? répondit-il d'un ton bourru.

— Théo... une sorte de voyante est venue chez moi, bredouilla Chloé. Elle a dit que la carte allait nous attirer des ennuis !

Absorbé par sa découverte, le garçon secoua la tête et grogna d'un ton distrait :

— N'importe quoi !

— Mais pourquoi cette femme est-elle venue chez moi ?

Incapable de répondre à la question de son amie, Théo poussa un soupir.

— C'est peut-être un hasard, avança-t-il. Elle voulait probablement mendier un peu d'argent.

Non, ce n'était pas un hasard. Chloé en était certaine.

— Hm. Je ne crois pas. Elle semblait plutôt intéressée par les parchemins.

—Tiens, à ce propos, j'ai découvert un message secret sur la carte, annonça Théo.

Pendant que ses amis téléphonaient, Alexandre faisait des exercices avec deux haltères dans la cour de la maison où il vivait avec ses parents. Malgré l'arrivée du printemps, le froid était encore mordant, mais l'adolescent préférait s'entraîner dehors pour prendre l'air.

Soudain, il remarqua qu'on l'observait. Vêtu d'un élégant costume gris, un homme se tenait devant le portail de la cour. Ses cheveux étaient gominés[1] et il portait une fine moustache.

1. **gominés :** recouverts d'une pommade brillante.

L'inconnu s'approcha et fit un signe de tête.

— Bonjour, mon garçon.

Intrigué, Alexandre le salua à son tour.

— Je serai bref, reprit l'homme. Je viens te proposer un marché.

L'intéressé le dévisagea avec étonnement.

— Tes amis sont obstinés et un peu maladroits. Voilà pourquoi je viens te parler. Si tu m'apportes la carte du Temple du tonnerre, je t'offre un équipement complet de fitness.

— Pardon ? balbutia Alexandre.

Le moustachu se pencha en avant et lui fit un clin d'œil complice.

— Tu m'as parfaitement compris. Si tu me donnes la carte, tu n'auras plus besoin de ces haltères ridicules pour t'entraîner. Tu pourras t'acheter tes propres appareils de musculation.

— Qui êtes-vous ? demanda Alexandre, déconcerté.

— Peu importe. Je reviendrai ici ce soir à vingt-deux heures. Si tu m'apportes la carte, en échange je te donnerai cinq mille euros.

Sans un mot de plus, le mystérieux inconnu fit demi-tour et s'éloigna à grands pas.

Une fois remis de ses émotions, Alexandre sortit son portable de la poche de son pantalon et appela Théo.

Son ami n'avait pas quitté la cachette des Tigres et était en train de feuilleter son grand dictionnaire en dix volumes. Sur la carte, il avait trouvé un indice révélant que l'île du temple était située près d'une autre île, aux dimensions beaucoup plus grandes. Restait à découvrir son nom.

Sa tablette n'avait pas trouvé la réponse. Théo avait-il oublié quelque chose ?

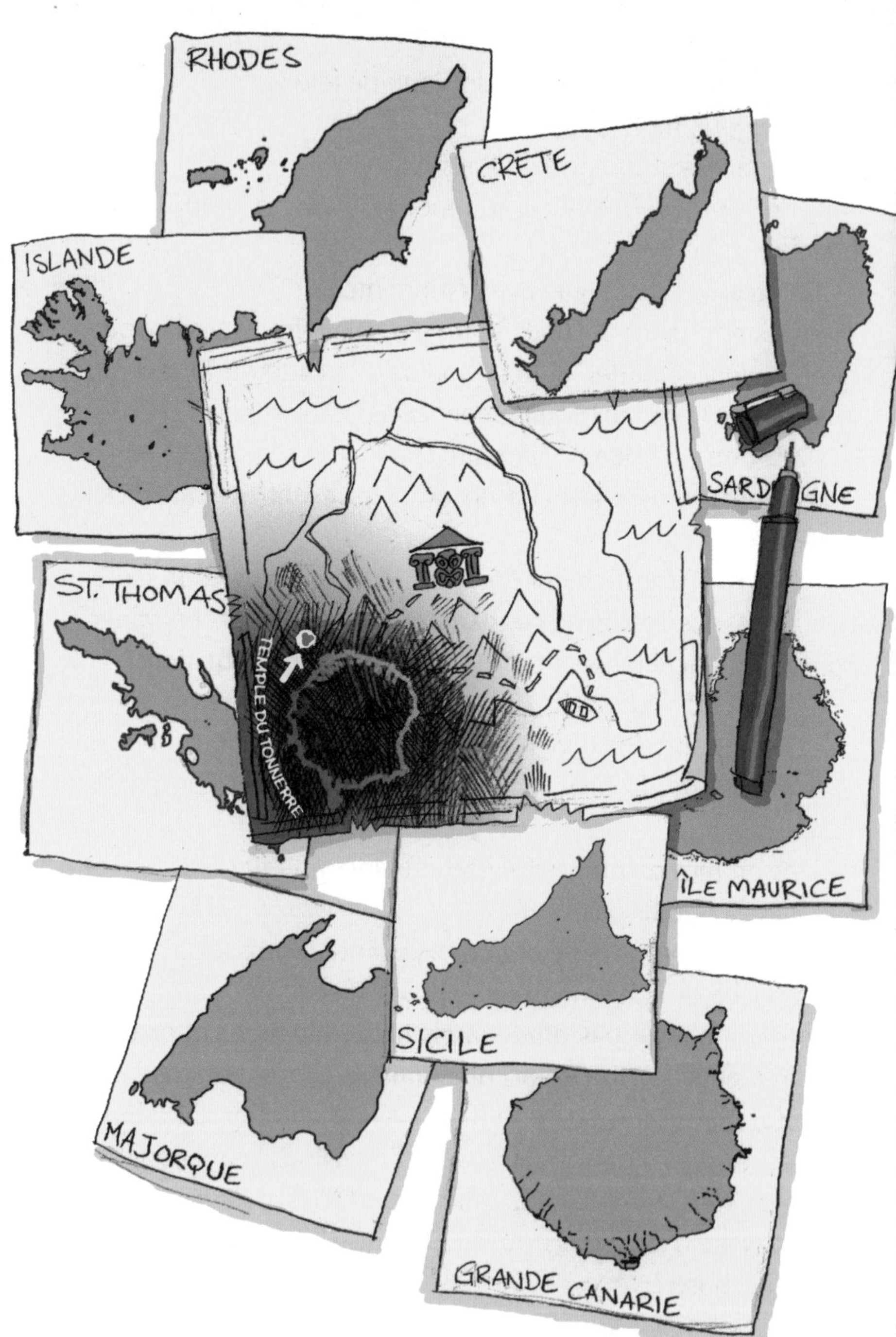
RHODES
CRÈTE
ISLANDE
SARD GNE
ST. THOMAS
TEMPLE DU TONNERRE
ÎLE MAURICE
SICILE
MAJORQUE
GRANDE CANARIE

Question
Peux-tu trouver le nom de l'île située près de celle du Temple du tonnerre ?
L'île de Grande Canarie
a une forme semblable
à celle que l'on peut voir
sur la carte au trésor.

Mes notes
d'enquête

Chapitre 5

Prudence !

Théo poussa un profond soupir. L'île était très loin. Ses parents avaient déjà passé des vacances à Grande Canarie, et, en avion, le vol durait près de quatre heures. Bien sûr, les Tigres n'avaient pas suffisamment d'argent pour se payer un tel voyage.

De nouveau, le portable de Théo sonna. Cette fois, c'était Alexandre, qui lui raconta l'offre incroyable qu'on lui avait faite.

— Dans ce temple, il doit y avoir quelque chose de très précieux si autant de gens cherchent à s'emparer de la carte, réfléchit Théo à voix haute.

Quelle misère qu'ils n'aient aucun moyen de poursuivre leurs recherches ! C'était vraiment désespérant !

— L'homme m'a dit de le retrouver à vingt-deux heures dans la cour, expliqua Alexandre, mais je préfère ne pas y aller.

— Tu as raison. Ce type pourrait être dangereux. Quelqu'un qui est prêt à dépenser autant d'argent n'hésitera pas à voler la carte.

Les garçons se donnèrent rendez-vous le lendemain après l'école, et Alexandre promit de prévenir Chloé.

À présent, Théo avait quelque chose d'important à faire : il devait cacher la carte du temple.

Si un voleur réussissait à s'introduire dans le repère des Tigres, il ne devait en aucun cas trouver le parchemin.

Le garçon s'agenouilla devant la bibliothèque. Il sortit plusieurs livres rangés sur le rayon inférieur, découvrant alors une grille qu'il retira du mur d'un geste sûr. Derrière se trouvait un puits d'aération qui approvisionnait en air frais la cachette des jeunes détectives.

Dans le conduit se trouvait une échelle que pouvaient gravir à tout moment Théo, Alexandre et Chloé. Elle permettait d'accéder directement au restaurant chinois et de sortir par la porte de service si leur repaire était surveillé.

Dans le puits, il y avait une brique descellée. Théo frappa légèrement du doigt contre les parois du conduit pour la retrouver. Après l'avoir dégagée du mur, il glissa la carte dans le petit creux qui se situait derrière. Puis il remit la brique à sa place. La cachette était parfaite !

Théo pouvait à présent rentrer chez lui l'esprit tranquille. Il décida de passer par le conduit d'aération et de sortir par l'arrière du restaurant. Mieux valait être prudent.

Dans la rue, la nuit était tombée. Lorsque le garçon voulut monter sur son vélo, il eut une mauvaise surprise : les deux pneus étaient à plat.

Théo cadenassa de nouveau sa bicyclette en pestant tout bas et la porta dans l'arrière-cour du restaurant. Il était trop fatigué pour regonfler maintenant les pneus. Il s'en occuperait le lendemain.

À pied, le trajet jusqu'à chez lui était assez long. Morose, il se mit en marche. Un vent glacial balayait les rues et se faufilait sous sa veste. Manifestement, l'hiver refusait de céder sa place au printemps.

En marchant, Théo récapitula les événements de la journée.

Tout à coup, il remarqua qu'on le suivait. Il s'arrêta et fit semblant de contempler une vitrine. Au même instant, les pas derrière lui cessèrent.

Lorsque Théo reprit sa marche, l'inconnu se remit également en mouvement. Il accéléra l'allure, et son poursuivant l'imita. Le garçon sentit alors la peur l'envahir. Qui était à ses trousses ?

Théo se figea brusquement et fit volte-face.

Personne !

Mais, au moment où il repartait, il entendit de nouveau des pas derrière lui.

Il sortit un petit miroir de la sacoche qu'il emportait partout où il allait. Celle-ci était remplie de gadgets qui l'aidaient toujours à se tirer d'un mauvais pas.

À l'aide du miroir, il jeta un regard par-dessus son épaule, mais il ne put apercevoir son poursuivant. Rapide, l'inconnu semblait se cacher adroitement sous les porches des immeubles ou derrière les voitures garées dans la rue.

Soudain, l'homme commit pourtant une erreur. Il s'était dissimulé dans un renfoncement, mais son ombre était visible sur le mur d'à côté.

Un soupçon vint aussitôt à l'esprit de Théo...

Question
As-tu reconnu le poursuivant de Théo ?
De toute évidence,
c'est le petit homme
rondelet que les Tigres
ont rencontré lors
de la vente
aux enchères.

Chapitre 6

Une offre alléchante ?

La peur de Théo grandissait au fil des secondes. Il avait pris un raccourci et se trouvait à présent dans un quartier désert. Les immeubles abritaient principalement des bureaux qui, à cette heure-ci, étaient déjà vides.

Les pas se rapprochaient peu à peu. Théo songea à ralentir l'allure pour se laisser rattraper par son poursuivant. Lorsque l'inconnu serait suffisamment proche, il pourrait peut-être lui envoyer sa sacoche à la figure. Mais il risquait d'abîmer ses précieux gadgets.

Finalement, il rassembla tout son courage, virevolta brusquement et lança :

— Qu'est-ce que vous voulez ?

Son poursuivant sortit de l'ombre d'une entrée d'immeuble. C'était effectivement l'homme au visage empâté[1] que les Tigres avaient rencontré lors de la vente aux enchères. Visiblement gêné, il s'avança en toussotant.

— Pardon… je n'ai pas osé t'aborder.

— Mais vous n'avez pas eu peur de dégonfler les pneus de mon vélo, gronda Théo.

— Ce n'est pas moi ! protesta l'homme.

1. **visage empâté :** visage alourdi par la graisse.

Il tendit la main au garçon et se présenta :

— Je suis Pietro Mancuso. Reporter[1] à *La Gazette du soir*. Je sais que vous possédez la carte dont le capitaine Cassard parlait parfois. « Elle indique le chemin de la *Foudre verte* », m'a-t-il raconté à plusieurs reprises. Je pense que cette *Foudre verte* est une énorme émeraude de grande valeur. Je voulais partir à la recherche de ce trésor, mais j'ignorais que la carte se trouvait dans les poissons-globes.

Théo croisa les bras sur sa poitrine. Il avait froid, et ne comprenait pas pourquoi cet homme lui faisait de telles confidences.

— Écoute : tes amis et toi pouvez avoir l'émeraude, ajouta le reporter.

Théo éclata de rire.

— Et comment nous rendrons-nous sur l'île ?

— Je vous paie le voyage, proposa Mancuso. Je ne pose qu'une seule condition...

— Laquelle ?

— Je tiens à venir avec vous. Je prendrai des photos et rédigerai ensuite un article pour *La Gazette du soir*. Qu'en penses-tu ?

Théo ne voulait rien promettre. Il devait auparavant en parler à ses amis. L'offre lui semblait toutefois très intéressante.

— Je vous attendrai demain après-midi devant le restaurant chinois, dit le journaliste. Vous me donnerez votre réponse à ce moment-là.

Mancuso fit un large sourire, puis rentra les épaules et tourna les talons. Perplexe, Théo le regarda s'éloigner. Que devait-il penser de cette proposition ?

---

1. **reporter :** journaliste.

Le lendemain après-midi, à quatorze heures, les Tigres se retrouvèrent dans leur cachette. Tous avaient des choses incroyables à raconter.

— L'homme aux cheveux gominés est bien revenu à vingt-deux heures hier soir, expliqua Alexandre. Je l'ai vu par la fenêtre du vestibule. Il a attendu quelques minutes avant de disparaître.

— Moi aussi, il m'est arrivé quelque chose d'étrange, confia Chloé. En venant ici, j'ai vu une femme blonde sortir d'une voiture. Fortement maquillée, elle portait un imperméable de vinyle rouge.

Théo et Alexandre regardèrent leur amie avec curiosité.

— Et alors ? Que s'est-il passé ?

— Elle s'est approchée de moi et m'a dit de me méfier d'un homme nommé Pietro Mancuso. D'après elle, c'est un escroc et un menteur. Puis elle est remontée dans sa voiture et a démarré sur les chapeaux de roue. Vous connaissez ce Mancuso ?

Théo avala sa salive avec difficulté.

— Euh… oui. Ce type nous a fait une offre incroyable !

Il raconta en détail sa rencontre avec le reporter.

— Qu'allons-nous faire ? demanda-t-il après avoir conclu son récit.

— Nous acceptons son offre ! trancha Chloé. Premièrement, nous sommes trois et il est seul. Deuxièmement, s'il écrit un article, il pourra difficilement dire qu'il nous a ravi notre trésor. Troisièmement, c'est notre seule chance d'éclaircir le mystère du Temple du tonnerre. Allons-nous la laisser filer ?

— Non ! répondit Théo d'un ton décidé.

Alexandre resta muet. L'offre du journaliste lui paraissait plutôt louche.

— Tu te dégonfles ? s'étonnèrent ses compagnons.

Vexé, il secoua la tête avec énergie.

— Mais nos parents n'accepteront jamais de nous laisser partir ! objecta-t-il.

Chloé avait déjà réfléchi au problème.

— Mancuso devra s'arranger pour faire croire à tout le monde que nous avons gagné un voyage en participant à un concours organisé par son journal. Les vacances de Pâques commencent dans une semaine. Nos parents ne pourront pas nous refuser ce séjour aux Canaries.

À l'heure convenue, les Tigres sortirent de leur cachette pour retrouver Mancuso devant le restaurant chinois. Le reporter estima l'idée du concours excellente et promit de tout arranger.

Le plan des adolescents fonctionna à merveille. Leurs parents n'eurent aucun soupçon et les autorisèrent à passer quelques jours de vacances aux Canaries.

Le vol était prévu pour le samedi suivant.

Deux jours avant le départ, quelqu'un entra par effraction durant la nuit dans la cachette des détectives. L'intrus mit le repaire sens dessus dessous. Le lendemain, les trois amis

restèrent stupéfaits en découvrant le chaos qui régnait dans leur cave secrète.

— Celui qui est venu ici cherchait la carte, constata Théo. Et il a fouillé minutieusement les lieux.

— Il nous faudra au moins trois semaines pour tout remettre en ordre, soupira Chloé.

— Et la carte ? interrogea Alexandre. Le cambrioleur l'a-t-il trouvée ?

Théo se glissa dans le puits d'aération.

— Pas de panique ! lança-t-il du conduit. Elle est toujours là, derrière la brique.

À présent, les Tigres étaient sûrs d'une chose : le trésor du Temple du tonnerre intéressait beaucoup de monde. Ils devraient donc se montrer très prudents.

Le jour du départ arriva enfin. En compagnie de Mancuso, les trois jeunes détectives montèrent dans l'avion, l'estomac noué. Quelles surprises les attendaient au cours de ce voyage ?

Tandis qu'ils cherchaient leurs places dans la cabine, Chloé fit soudain une découverte sidérante. À bord se trouvait quelqu'un qu'elle avait déjà rencontré à plusieurs reprises ces derniers temps. Cette personne avait modifié son apparence, mais possédait malgré tout un trait distinctif.

Question
Qui est donc cette personne ?
La femme au milieu
de la deuxième rangée à droite
de l'image a une cicatrice
sur le sourcil
gauche.

Mes notes
d'enquête

Chapitre 7

Traqués ?

Chloé se laissa tomber sur son siège et respira profondément. Il fallait qu'elle se calme. Son cœur battait toujours la chamade[1].

— Ça ne va pas ? s'inquiéta Théo, qui s'était assis près d'elle.

Chloé se pencha vers lui et murmura :

— Je viens de comprendre quelque chose. La voyante et la jeune femme blonde qui m'a mise en garde contre Mancuso sont une seule et même personne. Et cette personne est assise trois rangs derrière nous.

Théo fronça les sourcils.

— Comment peux-tu en être sûre ?

— Elle a une petite cicatrice sur le sourcil gauche, souffla Chloé à l'oreille de son ami.

— Alors, vous trois, tout va bien ? demanda Pietro Mancuso avec une amabilité forcée.

— Oui, oui, ça va, éludèrent les Tigres.

Alexandre se méfiait du reporter. Il avait prévu, avant le départ, d'appeler *La Gazette du soir* pour se renseigner sur Mancuso, puis l'idée lui était malencontreusement sortie de la tête. Il essaierait de réparer cet oubli dès qu'ils arriveraient à l'hôtel.

1. **battait la chamade :** battait plus vite sous l'effet de l'émotion.

TAXI
GC·1976·8

AEROPUERTO

Les Tigres avaient décidé de ne pas parler du trésor durant le voyage. Dans l'avion, les oreilles indiscrètes étaient trop nombreuses. Tous les trois sortirent un livre de leur sac. Ils éclatèrent de rire en constatant qu'ils avaient tous fait le même choix. Il s'agissait d'un roman d'épouvante : *Le Sourire de la mort.*

Pourtant, aucun d'entre eux n'arrivait à se concentrer sur l'histoire. Le Temple du tonnerre leur revenait sans cesse à l'esprit. Parviendraient-ils à le trouver ?

Quatre heures plus tard, l'avion atterrissait enfin sur l'île de Grande Canarie. Peu de temps après, les Tigres et Mancuso sortirent du bâtiment de l'aéroport. Le reporter héla un taxi. Ils mirent leurs bagages dans le coffre, s'installèrent dans le véhicule, et Mancuso indiqua au chauffeur le nom de leur hôtel.

Pendant ce temps, Chloé cherchait fiévreusement du regard la femme qu'elle avait aperçue dans l'avion. La fausse voyante resta cependant invisible. Elle avait peut-être encore changé d'apparence pour passer inaperçue.

Après un trajet sans encombre[1], le petit groupe arriva à l'hôtel luxueux choisi par Mancuso. Le journaliste avait réservé pour les Tigres deux chambres attenantes. Spacieuses, celles-ci avaient vue sur l'océan. Chloé fut rassurée en découvrant qu'elles étaient reliées par une porte. S'il y avait le moindre problème, elle pourrait rapidement alerter les garçons.

La chambre du reporter était située à l'étage supérieur.

— Je vous laisse, dit Mancuso aux trois détectives dans le hall de l'hôtel. Je vais essayer de nous trouver un bateau. En attendant, allez donc vous reposer à la plage. On se rejoint là-bas un peu plus tard.

---

1. **sans encombre :** sans ennui.

Les Tigres hochèrent la tête avec enthousiasme. L'idée était excellente. Sur Grande Canarie, il faisait tellement chaud qu'on aurait pu se croire en plein été. Après avoir déposé les bagages dans leurs chambres, ils prirent leurs maillots de bain et sortirent de l'hôtel.

— Et la carte ? demanda soudain Chloé. Où est-elle ?

Théo sourit.

— Elle est bien en sécurité dans le petit coffre-fort de notre chambre, expliqua-t-il avec fierté.

Ses amis le félicitèrent de sa prévoyance en lui tapotant l'épaule.

Lorsqu'ils s'installèrent sur des chaises longues au bord de l'océan, Chloé s'aperçut qu'elle avait oublié son livre. Elle se releva en soupirant et retourna le chercher à l'hôtel.

Arrivée dans sa chambre, elle sentit que quelque chose clochait. Ou était-ce son imagination qui lui jouait des tours ? Elle promena son regard dans la pièce sans rien remarquer d'anormal. Au moment où, son livre sous le bras, elle s'apprêtait à ressortir, elle entendit un bruit dans la chambre des garçons. Elle passa la tête par la porte entrebâillée et poussa un cri de surprise. Quelqu'un avait fouillé les bagages d'Alexandre et Théo. À cet instant, une grosse main se posa sur sa bouche et pinça son nez.

— Tu vas me suivre sans faire de bruit, sinon tu risques de manquer d'oxygène, lui murmura une voix à l'oreille.

Chloé ne pouvait pas voir son agresseur car il lui était impossible de tourner la tête. L'inconnu l'entraîna hors de la chambre, lui fit traverser le couloir et la poussa vers l'escalier de service.

Une heure plus tard, les garçons commencèrent à s'inquiéter en ne voyant pas Chloé revenir sur la plage.

— Où est-elle passée ? s'étonna Alexandre.

— Viens, répondit Théo. Allons faire un tour à l'hôtel.

Ce dernier s'en voulait d'avoir attendu aussi longtemps. Mais ils étaient fatigués et n'avaient pas vu le temps passer.

Lorsque les garçons découvrirent le désordre dans leur chambre, ils poussèrent un long soupir.

— Oh non ! fit Alexandre. Ça commence à devenir une mauvaise habitude !

Au même moment, le téléphone posé sur la table de chevet se mit à sonner.

— Qui peut bien nous appeler ici ? s'exclama Théo avant de décrocher. Allô ?

— J'ai enlevé votre copine, annonça une voix menaçante. Donnez-moi la carte, ou vous ne la reverrez plus jamais. Vous m'avez compris ?

La gorge serrée, Théo ne put articuler un mot.

— Si vous ne me croyez pas, gronda la voix, écoutez ça.

Quelques secondes plus tard, Théo reconnut Chloé à l'autre bout de la ligne.

— Faites ce qu'il dit, supplia-t-elle. Sinon, quelque chose va tomber sur le balcon…

La communication fut brutalement interrompue. Les deux garçons échangèrent des regards désemparés.

— Pourquoi dit-elle que quelque chose va tomber sur le balcon ? demanda Théo, troublé.

Sans réfléchir, Alexandre se précipita sur le balcon de la chambre, où étaient disposées une petite table et une paire de fauteuils en rotin. Sur le sol, entre deux plantes vertes, il aperçut une boule de papier. Il la ramassa et la déplia avec précaution. Sur la feuille chiffonnée, on avait tracé à la hâte une série de cercles et de rectangles, ainsi que les nombres 12 et 13.

— Qu'est-ce que c'est ? s'enquit-il en se tournant vers Théo, qui l'avait rejoint sur le balcon.

Celui-ci examina attentivement les symboles et finit par murmurer :

— Si je ne me trompe pas, c'est un message codé de Chloé. Viens.

— Codé ?

Déconcerté, Alexandre suivit son ami dans la chambre.

– 12 –

Une chose avait toujours attiré Léo comme un aimant : cette mystérieuse porte noire au fond de la cave, que sa grand-tante Fulberte gardait verrouillée nuit et jour. Trois gros verrous avaient été posés pour dissuader les curieux de jeter un coup d'œil derrière la porte. Quelle terrible malédiction avait-on enfermée[1] dans cette pièce ? La grand-tante de Léo n'avait jamais voulu répondre. Enfant, il lui avait souvent posé la question. À chaque fois, elle répétait d'une voix sévère en levant un index menaçant : « Ne t'avise jamais d'ouvrir cette porte, mon garçon. Ce serait le pire jour de ta vie, crois-moi ! »

Mais, d'année en année, cet interdit avait aiguisé la curiosité de Léo.

Et tante Fulberte était décédée à présent. Elle était morte brusquement dans sa chambre durant une effroyable nuit d'orage.

Lorsque Léo, qui avait maintenant vingt-neuf ans, entra dans la maison vide après l'enterrement, il se dirigea instinctivement

1. Les mots soulignés t'aident à décoder le message de Chloé.

vers la cave. Il était à peine sept heures du soir, mais l'obscurité avait déjà envahi toutes les pièces. Un silence lugubre entourait Léo. Pas à pas, il descendit l'escalier qui menait au sous-sol. Il crut tout à coup entendre des voix et se figea. Des ombres semblaient tournoyer au-dessus de sa tête pour l'effrayer.

— Non, ne fais pas ça ! soufflaient-elles à son oreille. Ne va pas plus loin !

– 13 –

« Je n'ai pas peur de vous, songea Léo en secouant la tête pour chasser les démons : ce n'est que mon imagination qui me joue des tours. »

Il se remit en marche. Il avait toutefois la désagréable impression que la cave était surveillée. Devant lui, il remarqua alors deux yeux rouges dans l'obscurité. Prenant son courage à deux mains, le jeune homme continua d'avancer, et les prunelles luisantes disparurent comme par enchantement. Une seconde plus tard, une main froide et osseuse sembla lui agripper l'épaule pour l'obliger à faire marche arrière.

Mais Léo l'ignora et marcha d'un pas déterminé jusqu'à la porte noire. Personne ne l'empêcherait d'entrer dans la pièce mystérieuse. Tante Fulberte, la sentinelle inflexible, n'était plus de ce monde. « Quel triste sort ! » se dit Léo. Gagné par la nervosité, il saisit la lime qu'il avait glissée dans sa poche et commença à forcer les verrous. Il fallait qu'il ouvre cette porte. C'était le moment ou jamais. Le jeune homme n'avait pas d'autre choix ; c'était devenu chez lui une obsession. Les ombres réapparurent et se mirent à virevolter autour de lui en hurlant.

— Non, vous ne m'arrêterez pas ! cria-t-il. Tirez-vous ! Laissez-moi tranquille !

Il ne restait plus qu'un verrou à crocheter, et Léo pourrait enfin découvrir ce que la vieille Fulberte avait dissimulé durant de longues années. Quel secret avait-elle jalousement gardé pendant tout ce temps ? Ce soir-là, Léo apprendrait la vérité.

Théo avait compris la ruse de Chloé. Il prit son roman d'épouvante, l'ouvrit aux pages 12 et 13, puis plaça le papier fin sur le texte comme une grille cryptographique. Les mots ainsi isolés révélèrent un message.

Question
Peux-tu déchiffrer
le message de Chloé ?
Enfermée dans
chambre 971 au-dessus
de vous, surveillée ;
mais la sentinelle sort
par moment. Tirez-moi
de là.

Chapitre 8

Plus une minute à perdre

— Et que faisons-nous maintenant ? soupira Alexandre.

Théo ne répondit pas. Lui non plus ne savait pas quoi faire. Apparemment, Chloé était enfermée dans la chambre située juste au-dessus d'eux ; mais comment pouvaient-ils l'aider à s'échapper ?

Les adolescents réfléchirent fiévreusement. Quelques instants plus tard, Alexandre eut une idée. Théo approuva aussitôt le plan de son compagnon. Il fallait tenter le tout pour le tout.

Théo sortit deux vieux talkies-walkies[1] de sa sacoche. Ils ne fonctionnaient plus très bien, mais cela serait suffisant pour l'utilisation que les garçons en feraient. Après avoir glissé l'un des appareils dans sa ceinture, Alexandre alla prendre position sur le balcon pendant que Théo se rendait à l'étage supérieur en empruntant l'escalier de service.

Alexandre avait remarqué une échelle de secours près du balcon. La chambre était au quatorzième étage. Lorsqu'il se pencha pour jeter un coup d'œil dans le vide, il fut pris de vertige.

1. **talkies-walkies :** petits appareils portatifs permettant d'émettre et de recevoir des messages vocaux.

Non, il fallait rester concentré et éviter de regarder en bas.

Le talkie-walkie grésilla. Alexandre reconnut la voix déformée de Théo qui annonçait :

— La voie est libre ! Vas-y !

Prenant son courage à deux mains, le jeune Tigre monta sur l'échelle et gravit avec adresse les échelons jusqu'à l'étage du dessus. Puis il enjamba le parapet, sauta sur le balcon et se rua dans la chambre. Un bâillon dans la bouche, Chloé était ligotée sur le lit. Alexandre se hâta de la libérer, mais, avant que les deux amis n'aient le temps d'échanger une parole, le talkie-walkie grésilla de nouveau.

— Attention ! prévint Théo. Un homme approche !

De la main, Alexandre fit signe à Chloé de rester silencieuse et se posta derrière la porte d'entrée. Quelques instants plus tard, une clé tourna dans la serrure et le battant s'ouvrit. C'était le moment qu'attendait Alexandre. Il se jeta de toutes ses forces contre la porte, qui heurta violemment la tête de l'arrivant. L'homme s'écroula dans le couloir en poussant un gémissement de douleur.

Théo, qui s'était caché dans le corridor derrière une grosse plante verte, rejoignit ses compagnons. Les Tigres portèrent l'inconnu dans la chambre et le ligotèrent, à son tour, sur le lit.

— Nous n'avons encore jamais vu ce type, constata Alexandre en bâillonnant l'intrus.

Chloé acquiesça.

— Mais ce n'est qu'un homme de main. Il n'a pas cessé de donner des coups de téléphone pour savoir ce qu'il devait faire. Ça a dû rendre furieux son patron, qui ne décrochait même plus à la fin.

Elle montra du doigt leur prisonnier.

— Il m'a laissée seule à trois reprises, poursuivit-elle. Les deux premières fois, il m'a seulement enfermée dans la chambre, le temps d'aller chercher quelque chose à boire. J'en ai profité pour vous écrire un message. Par mesure de précaution, je l'ai codé. Je n'étais pas certaine de me trouver juste au-dessus de votre chambre. La troisième fois, il m'a ligotée et bâillonnée avant de partir. Il est certainement allé voir son patron pour recevoir des instructions.

— Pour qui peut-il bien travailler ? demanda Théo d'un air pensif.

Incapables de répondre, ses deux compagnons haussèrent les épaules. Soudain, il se frappa le front et s'écria :

— Sortons d'ici. Je dois passer un coup de fil urgent. Retrouvons-nous dans la chambre de Chloé.

Les Tigres se séparèrent. Théo partit téléphoner tandis qu'Alexandre raccompagnait Chloé jusqu'à sa chambre.

Quelques minutes plus tard, les trois amis étaient de nouveau réunis. Théo s'empressa de raconter ce qu'il venait d'apprendre :

— J'ai appelé *La Gazette du soir*. Aucun Pietro Mancuso n'y travaille. Il nous a menti sans aucun scrupule. C'est probablement lui qui a fait enlever Chloé.

— La jeune femme à la cicatrice avait raison, dit cette dernière. Elle veut nous protéger.

— Nous devons quitter l'hôtel et nous rendre au plus vite sur l'île du temple, suggéra Théo. Nous parviendrons peut-être à semer nos poursuivants.

Après avoir récupéré la carte dans le coffre-fort, les détectives se rendirent au port de plaisance, qui se trouvait non loin de l'hôtel.

Malgré tous leurs efforts, ils durent finalement s'avouer vaincus. À la marina[1], personne ne voulait leur louer de bateau. Ils étaient trop jeunes. Que c'était rageant !

Abattus, les Tigres s'assirent sur un muret qui longeait le quai.

— Avez-vous réussi à lui échapper ? lança soudain une voix derrière eux.

1. **marina :** complexe touristique composé de logements et commerces situés à côté d'un port de plaisance.

Les trois amis virevoltèrent et reconnurent la femme aux cheveux blonds que Chloé avait rencontrée à plusieurs reprises.

— Qui êtes-vous au juste ? demanda la jeune fille.

— J'étais une amie du capitaine Cassard et j'essaie de vous protéger. Voilà pourquoi je cherche, depuis une semaine, à vous dissuader de partir à la recherche du Temple du tonnerre. C'est trop dangereux. Et vous faites confiance aux mauvaises personnes – ce qui n'arrange rien.

— Ça, nous l'avons compris, remarqua Alexandre.

— Mais nous n'allons pas renoncer maintenant ! déclara Chloé d'un ton déterminé. Nous ferons tout pour découvrir le secret de la *Foudre verte* !

— C'est vraiment ce que vous voulez ? interrogea l'inconnue. Vous n'êtes pas au bout de vos peines.

En chœur, les détectives acquiescèrent vivement de la tête.

— Je crois que vous auriez plu au capitaine Cassard, dit la femme aux boucles blondes en souriant. Je vais vous aider.

Les Tigres poussèrent un soupir de soulagement.

— Au fait, je ne me suis pas encore présentée, ajouta leur nouvelle alliée. Je m'appelle Lola Lamar.

Une demi-heure plus tard, Lamar avait loué un offshore[1] et invitait les trois amis à monter à bord.

— Avez-vous un permis pour conduire un bateau à moteur ? s'enquit Théo en contemplant le hors-bord.

La jeune femme lui décocha un grand sourire.

— Bien sûr, mon garçon, sinon je n'aurais pas pu louer cet engin.

1. **offshore :** bateau de plaisance très puissant.

Elle abaissa la manette des gaz, et la vedette s'élança hors du port.

— Hé, stop ! Revenez ! cria une voix familière depuis la jetée.

Les Tigres se retournèrent et aperçurent Pietro Mancuso qui leur faisait de grands signes.

— Ne l'écoutez pas ! dit Lola Lamar. Vous pouvez être heureux de vous être débarrassés de ce truand.

Théo sortit la carte qu'il avait cachée dans le compartiment secret de sa sacoche et la déroula. D'après le dessin, ils devaient mettre le cap plein sud.

— C'est pas vrai ! pesta soudain Lamar. La boussole du bateau est cassée !

— Comment allons-nous faire pour nous orienter ? s'inquiéta aussitôt Alexandre.

— Lorsque le soleil est à son zénith, à midi, il indique la direction du sud, répondit Théo d'un ton doctoral.

— Mais il n'est pas midi, monsieur le professeur.

— Laissez-moi faire, intervint Chloé.

Elle détacha sa montre, la tint à l'horizontale et pointa la petite aiguille vers le soleil.

— Maintenant, j'ai besoin d'une allumette.

Théo avait heureusement une boîte d'allumettes dans sa sacoche. Chloé put ainsi déterminer avec exactitude où se trouvait le sud.

Question
Comment Chloé a-t-elle fait pour trouver le sud ?
Il faut placer l'allumette à mi-chemin entre la petite aiguille et le nombre 12 du cadran.

Mes notes
d'enquête

Chapitre 9

Nouvelle surprise

— Bien joué, jeune fille ! la félicita Lola. Pour l'instant, ça devrait suffire pour nous orienter. D'après votre carte, nous atteindrons l'île dans une demi-heure environ.

Tout à coup, Théo se frappa le front. Il sortit sa tablette numérique de sa sacoche, la mit en marche et hocha la tête d'un air satisfait.

— J'aurais dû y penser plus tôt ! s'exclama-t-il. La tablette a un GPS intégré !

D'un simple coup d'œil, il constata qu'il fallait rectifier légèrement le cap pour gagner l'île. Décidément, les capacités de son petit ordinateur l'étonneraient toujours.

À cet instant, Théo entendit le rugissement d'un moteur. En tournant la tête, il vit, sur sa gauche, un gros hors-bord qui fonçait droit sur eux. Lola Lamar poussa un cri de surprise. Elle n'avait pas la moindre chance d'esquiver le puissant offshore. Le choc était inévitable.

La vedette à leurs trousses accéléra encore l'allure et se rapprocha dangereusement de l'arrière de leur bateau.

— Nous devons sauter à l'eau ! hurla Chloé. Vite !

Elle s'apprêtait à plonger dans l'océan lorsque leur poursuivant vira brusquement. Une énorme gerbe d'eau s'éleva dans les airs avant de retomber sur les Tigres et Lola Lamar.

— C'est le type aux cheveux gominés ! s'écria Alexandre. Celui qui voulait acheter la carte !

Soudain, une voix menaçante portée par un mégaphone retentit derrière eux :

— Donnez-nous la carte ou nous vous envoyons par le fond en vous tamponnant. Mon bateau ne subira aucun dommage, mais le vôtre va couler !

Chloé observa le hors-bord en fronçant les sourcils.

— Je reconnais le pilote, remarqua-t-elle avec effroi : c'est mon ravisseur !

— Je compte jusqu'à dix, annonça l'homme au costume gris. Un… deux… trois…

Théo jeta un coup d'œil sur la carte détrempée. L'encre s'était un peu effacée, mais était encore lisible.

— Hé, regardez ça ! s'exclama-t-il avec excitation.

Quelque chose d'incroyable s'était produit. Sous l'humidité, le papier s'était fendillé et divisé en deux. Entre les fragments était apparue une petite feuille très fine, sur laquelle était peint un papillon. Sous l'image, on pouvait lire une légende, tracée d'une écriture tremblée :

Alors que je m'adonnais à mon activité favorite – peindre les papillons –, j'ai découvert le Temple du tonnerre et son secret. Ceci est mon plus beau papillon. Plie-le et conserve-le bien. Il pourra – dans la bonne lumière – t'indiquer la voie.

— ... sept... huit... neuf... Alors, ça vient ? aboya le gominé sur l'autre bateau. Ou faut-il que je vienne chercher moi-même la carte ?

— Tu peux toujours courir, ordure ! gronda Lamar.

Elle se pencha ensuite vers les jeunes détectives et murmura :

— Ne la lui donnez surtout pas !

— Dix ! lança l'inconnu à la fine moustache. Vous l'aurez voulu !

Il fit un signe à son complice. Le hors-bord démarra en trombe et fonça vers le bateau des Tigres.

— Accrochez-vous ! cria Lola Lamar en mettant les gaz.

Sous la brusque impulsion, leur vedette leva le nez et fendit les flots à toute vitesse. N'ayant pas le temps de modifier leur trajectoire, leurs poursuivants filèrent tout droit sans les atteindre.

Quelques secondes plus tard, un bruit violent retentit et le hors-bord des assaillants se figea littéralement sur l'eau.

— Que s'est-il passé ? demanda Alexandre, surpris.

Lamar jeta un regard par-dessus son épaule, puis expliqua avec une fierté non dissimulée :

— Il y avait un banc de sable à bâbord[1]. J'ai manœuvré de manière à les attirer sur cet écueil. Leur offshore s'est échoué.

1. **bâbord :** côté gauche d'un bateau quand on regarde vers l'avant.

— Bravo ! exultèrent les Tigres.

Sans perdre de temps, Lola Lamar remit le cap au sud. Une demi-heure plus tard, comme elle l'avait prévu, ils virent apparaître à l'horizon une petite île montagneuse dont les rochers escarpés avaient un aspect menaçant. Le Temple du tonnerre devait se trouver quelque part là-bas.

— On dirait qu'il y a un volcan, commenta Lamar en ralentissant. Mais il semble éteint.

Elle remit les gaz pour faire le tour de l'île. Les Tigres constatèrent bientôt qu'il n'y avait qu'une seule petite plage de sable blanc où ils pourraient débarquer.

Lola Lamar guida adroitement le bateau vers le rivage, puis jeta l'ancre.

— Vous devrez malheureusement mettre les pieds dans l'eau pour gagner la plage, dit-elle.

— Vous ne venez pas avec nous ? s'étonna Chloé.

La jeune femme aux boucles blondes refusa d'un signe de main.

— Je préfère surveiller le bateau. Si on nous le vole, nous sommes coincés ici !

Avant de sauter dans l'eau, les trois détectives promenèrent leur regard sur la plage. Étaient-ils seuls sur l'île ou quelqu'un les avait-il devancés ? Si c'était le cas, cette personne les épiait peut-être, cachée derrière un buisson ou un rocher, dans le but de les suivre jusqu'au temple.

Question
Qu'en penses-tu ?
L'île est-elle déserte ?
À première vue,
il n'y a que
des empreintes
d'animaux
sur la plage.

Mes notes
d'enquête

Chapitre 10

Quelle est la bonne direction ?

Les détectives bondirent dans l'eau et marchèrent jusqu'à la rive. Arrivés sur la plage, ils remirent leurs chaussures. Mieux valait être prudent. Sur l'île, il y avait peut-être des serpents ou des plantes aux piquants vénéneux. Ils devaient donc progresser avec précaution en regardant où ils mettaient les pieds.

Alexandre prit la tête du groupe, suivi de Chloé. Théo fermait la marche. Carte en main, il indiquait à ses amis la direction à prendre.

À coups de bâton, les Tigres se frayèrent un chemin à travers d'épais fourrés de ronces, puis franchirent des gorges profondes, plongées dans la pénombre. Ils remontèrent ensuite le lit d'un ruisseau asséché, dans lequel des scorpions se faufilaient entre les pierres, et entamèrent enfin l'ascension d'une montagne dont le sommet dentelé formait une sorte de couronne.

À mi-chemin de la cime[1] escarpée, les trois compagnons arrivèrent à un étrange carrefour qui ne figurait pas sur la carte. Trois sentiers s'offraient à eux. Mais lequel fallait-il choisir pour parvenir au Temple du tonnerre ?

Chloé proposa de les essayer les uns après les autres. Ils optèrent en premier pour le sentier qui formait un coude sur la gauche. La jeune fille marchait devant, les garçons la suivaient d'un pas hésitant.

1. **cime :** sommet d'une montagne.

— Froussards ! lâcha Chloé avec un sourire en coin pour se moquer de ses amis. Arrêtez de trembler : il ne vous arrivera rien !

Durant un instant, elle ne prit pas garde où elle posait les pieds et son inattention la mit aussitôt en danger. Elle s'aventura dans des sables mouvants, qui aspirèrent avidement ses jambes telle une gueule vorace. Les garçons lui vinrent immédiatement en aide en la saisissant par les bras, mais Chloé s'enfonçait de plus en plus. Elle criait désespérément et se débattait de toutes ses forces.

— Arrête de bouger ! lui ordonna Théo.

— Mais je vais être engloutie ! gémit Chloé.

— Non, tes gigotements donnent plus de force aux sables mouvants, expliqua Théo posément.

Chloé dut faire un immense effort sur elle-même pour cesser de battre des jambes. Elle finit par y parvenir, et ses amis réussirent alors à la tirer sur la terre ferme.

— Merci, murmura-t-elle, épuisée.

— À partir de maintenant, réfléchissons au lieu d'agir à l'aveuglette, décida Théo. Je crains que ces trois chemins ne soient tous dangereux. Et probablement un seul d'entre eux conduit au Temple du tonnerre.

Mais lequel ?

Les Tigres firent demi-tour et revinrent au carrefour. Pendant que Théo se penchait sur la carte, Alexandre examina le sol.

— Regardez ! s'écria-t-il soudain. Quelqu'un a utilisé des cailloux pour former des flèches !

Après avoir longuement réfléchi, Théo découvrit quelle flèche leur indiquait la bonne direction.

Question
De quelle flèche s'agit-il ?
Aide-toi de la bonne carte
de la page 17.
Théo s'est aperçu
qu'il s'agissait de la même
flèche, à quatre ailerons,
qui indiquait le chemin
sur la carte
du temple.

Chapitre 11

Une clairière mystérieuse

Avançant avec précaution, les détectives reprirent leur marche en direction du Temple du tonnerre. Tandis qu'ils approchaient du sommet de la montagne, le sentier devenait de plus en plus raide et étroit. Sous la chaleur torride, l'air scintillait au-dessus des rochers. Les pierres sombres étaient tellement brûlantes que les Tigres ne pouvaient même pas les toucher.

De temps à autre, des grondements sourds s'élevaient des entrailles de la montagne et, par deux fois, le sol trembla sous leurs pieds.

— Est-ce vraiment prudent de continuer ? demanda Alexandre, inquiet.

Ses compagnons n'étaient pas rassurés non plus.

— Le volcan n'est pas éteint, fit Théo. Voilà pourquoi nous entendons ces bruits qui viennent du cœur de la montagne. Mais il n'y a aucun risque d'éruption, me semble-t-il. Nous sommes arrivés jusqu'ici, nous n'allons pas renoncer maintenant !

Les deux autres acquiescèrent.

À présent, Chloé marchait derrière les garçons. Elle ne s'était pas entièrement remise de sa mésaventure dans les sables mouvants. La peur la faisait encore trembler comme une feuille.

Plusieurs fois, il lui sembla entendre des cailloux rouler dans son dos. Lorsqu'elle se retournait, elle ne voyait pourtant personne. S'agissait-il d'animaux ? Ou étaient-ils suivis ?

« N'importe quoi, se dit Chloé pour se rassurer. Si quelqu'un nous avait suivis, Lola Lamar l'aurait remarqué et nous aurait prévenus d'une façon ou d'une autre. »

Enfin, ils arrivèrent au bout de leurs peines et atteignirent le sommet du volcan. Les trois amis franchirent un passage étroit entre deux rochers escarpés ; ce qu'ils découvrirent de l'autre côté du défilé les laissa sans voix. Ils débouchèrent dans une jungle épaisse et verdoyante, au milieu de laquelle se trouvait une grande clairière. Le sol y était recouvert de dalles hexagonales, qui paraissaient avoir été polies et balayées récemment.

— C'est certainement dû au vent, supposa Théo.

Au fond de la mystérieuse clairière s'élevait le Temple du tonnerre. Quatre imposantes statues aux visages grimaçants surveillaient l'entrée et soutenaient le lourd toit de pierre. Derrière le portique[1] régnait une obscurité absolue.

— Allons-y ! lança Théo en entrant dans la clairière.

À peine avait-il posé le pied sur la première dalle que celle-ci se brisa, révélant une fosse obscure. Les éclats semblèrent tomber dans les profondeurs durant une éternité avant de s'écraser au fond de l'oubliette avec un bruit étouffé.

Théo recula en poussant un juron.

— Nous ne pouvons pas traverser la clairière. C'est un nouveau piège. Il y a un gouffre sous le parvis[2], et je n'ai aucune envie de me rompre les os.

---

1. **portique :** galerie à l'entrée d'un bâtiment.
2. **parvis :** place située devant la façade d'un bâtiment.

Chloé et Alexandre poussèrent un profond soupir. Ils avaient enfin trouvé le Temple du tonnerre, mais ils ne pouvaient pas y accéder ! C'était vraiment trop rageant !

Pourtant, Alexandre ne voulait pas renoncer. De la pointe de sa basket, il frappa une autre dalle. Comme la première, celle-ci se cassa et les fragments disparurent dans la fosse.

— Laisse-moi essayer, dit Chloé.

À son tour, la jeune fille tapa un carreau hexagonal à coups de chaussure. Rien ne se passa. Elle répéta son geste trois fois avant de s'écrier :

— Hé, cette dalle-là reste intacte !

Les Tigres décidèrent de faire un test. Alexandre et Théo tinrent fermement leur amie par les bras tandis qu'elle pesait de tout son poids sur la dalle. Contre toute attente, la plaque de pierre ne céda pas.

Les détectives contemplèrent le parvis d'un air pensif.

— Manifestement, on peut atteindre le temple en marchant sur certaines dalles, suggéra Alexandre.

Ses compagnons approuvèrent d'un signe de tête.

— Mais lesquelles ? s'exclama Théo. Impossible de les essayer toutes ! C'est trop dangereux !

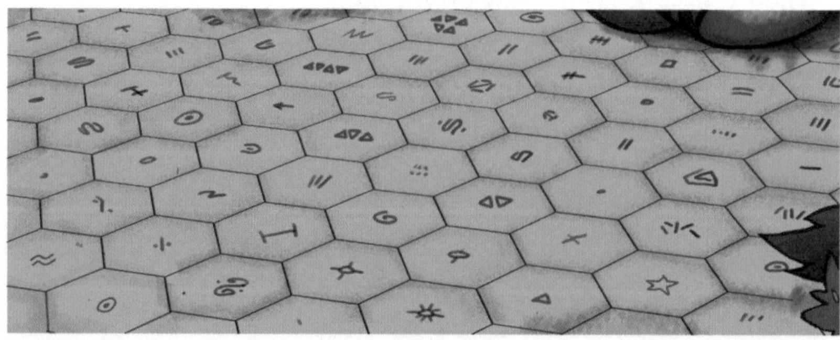

— Regardez les signes gravés sur les carreaux, intervint Chloé. Ils ne sont pas là par hasard.

Théo s'empressa de sortir sa tablette numérique de sa sacoche. À l'aide de son stylet, il dessina les symboles de plusieurs dalles sur l'écran tactile, puis pressa le bouton « décoder ». Mais, avant même que l'ordinateur de poche ne livre ses résultats, les trois amis avaient découvert le chemin à emprunter pour traverser le parvis.

Question
Es-tu capable de trouver
le chemin à prendre pour arriver
jusqu'au temple ?
Les Tigres doivent
sauter sur la dalle marquée
d'un triangle, ensuite sur
celle où il y a deux triangles,
puis sur celle à trois triangles,
et ainsi de suite.

Chapitre 12

Complètement perdus !

Ravis de leur découverte, nos jeunes détectives discutaient avec animation et ne remarquèrent pas le léger crissement de semelles derrière eux.

Théo décida de passer le premier et s'engagea sur le parvis en choisissant avec soin les dalles sur lesquelles il pouvait prendre appui. Les trois compagnons progressèrent lentement. Ils avaient presque atteint le temple lorsque Théo se trompa et posa le pied sur un carreau qui vola en éclats. Pris de panique, il chancela et fit de grands moulinets avec les bras pour retrouver l'équilibre. Soudain, il sentit une main ferme et puissante l'empoigner par le col de sa chemise.

— Ça va aller ? demanda Alexandre.

Le cœur battant, Théo le remercia de son aide et se remit en marche, se promettant d'être encore plus prudent à l'avenir.

Les Tigres parvinrent jusqu'au portique. Essoufflés, ils scrutèrent les ténèbres qui enveloppaient l'intérieur du temple.

— Ohé ! cria Alexandre.

— Ohé… ohé… ohé… ohé… ohé… ohé… ohé… ohé !

Sa voix résonna longuement entre les murs de l'étrange édifice. Entre-temps, Théo avait sorti une lampe torche de sa sacoche et la braqua vers l'entrée obscure. Les détectives aperçurent alors un large escalier, taillé grossièrement à même la roche, qui s'enfonçait dans le volcan.

Lentement, à tout petits pas, ils pénétrèrent en silence dans le temple. Puis ils commencèrent à descendre prudemment les marches de pierre. Le halo de la lampe torche balaya les murs de la galerie couverts de plantes épineuses, révélant soudain de grosses têtes hideuses qui les observaient avec des rictus démoniaques.

— À quoi peuvent bien servir ces masques horribles ? s'étonna Théo.

— Probablement à effrayer les intrus, répondit Chloé.

— C'est assez efficace, je dois dire, murmura Alexandre, qui sentait des frissons glacés courir le long de son dos baigné de sueur.

Au pied de l'escalier s'ouvrait un long couloir. Les Tigres s'y engagèrent avec précaution. Le corridor obscur faisait de nombreux coudes, et ils passèrent bientôt plusieurs embranchements. Tandis qu'ils progressaient toujours plus loin dans les profondeurs du volcan, ils remarquèrent avec angoisse que les grondements de tonnerre et les secousses du sol s'amplifiaient. Par moments, des filets de sable se détachaient du plafond de la galerie.

Au bout d'un certain temps, Chloé murmura d'une voix inquiète :

— Est-ce que tu sais où nous sommes, Théo ?

Le garçon avala sa salive avec difficulté et décida de mentir pour ne pas affoler ses compagnons :

— Oui, bien sûr !

En vérité, il savait qu'ils s'étaient perdus dans le dédale[1] de couloirs. Les trois détectives s'étaient aventurés dans un véritable labyrinthe, et Théo ignorait totalement où se trouvait la sortie.

1. **dédale :** labyrinthe.

Après avoir traversé une salle pentagonale[1], ils empruntèrent une galerie en spirale et débouchèrent dans une pièce carrée. En fouillant les lieux du regard, Théo aperçut un dessin sur une dalle de pierre. Il dirigea aussitôt le faisceau lumineux de sa lampe torche sur le sol et constata, avec soulagement, qu'il s'agissait probablement du plan du labyrinthe.

1. **pentagonale :** à cinq côtés.

Il se tourna vers ses compagnons.

— Je dois vous avouer quelque chose, annonça-t-il avec calme : nous sommes égarés.

Surpris, Chloé et Alexandre ouvrirent de grands yeux.

— Mais j'ai une bonne nouvelle, poursuivit Théo. Le plan dessiné ici pourra peut-être nous aider à sortir de ce dédale.

Les Tigres se penchèrent sur le dessin gravé dans la pierre. Au fond du labyrinthe se situait apparemment une salle qui avait la forme d'une boule de feu. Les trois amis étaient unanimes : c'était là-bas que devait être caché le secret du Temple du tonnerre. Il fallait absolument atteindre cet endroit !

Mais où se trouvaient-ils donc en ce moment ?

Peux-tu découvrir où les Tigres se trouvent ?

Cela prit un peu de temps, mais les détectives finirent par repérer leur position.

— Est-ce que ta tablette magique pourrait nous guider dans ce labyrinthe ? demanda Alexandre en montrant du doigt l'appareil préféré de Théo.

— Hm, je ne crois pas, répondit celui-ci d'un air pensif. À moins que je dessine le plan du temple et…

Chloé agita la main en signe de protestation.

— Ça va prendre trop de temps, objecta-t-elle. Les grondements deviennent de plus en plus forts. Je veux sortir d'ici le plus vite possible.

Théo haussa les épaules, s'agenouilla et vida sa sacoche sur le sol.

Parmi les objets qu'elle contenait, y avait-il quelque chose qui pouvait faciliter leur exploration du labyrinthe ?

Tout à coup, Théo s'écria :

— *Eurêka !* J'ai trouvé !

Question
Quelle idée vient d'avoir Théo ?
Théo va utiliser la pelote.
Après avoir fixé une extrémité
de la ficelle dans la pièce
du plan, il va ensuite dérouler
la pelote en marchant.
Les Tigres pourront toujours
revenir sur leurs pas
jusqu'à la salle carrée.

Mes notes
d'enquête

Chapitre 13

La porte des monstres

Chloé, Alexandre et Théo touchaient au but : au terme d'un parcours laborieux, ils étaient finalement arrivés à l'endroit où devait se trouver la *Foudre verte*. Mais quelle ne fut pas leur déception en découvrant que la salle de l'émeraude était barrée par une porte monumentale. Les larges vantaux[1] de bois étaient ornés d'affreuses têtes de monstres aux gueules béantes. Les créatures, qui montraient leurs crocs, semblaient prêtes à gronder : « Halte-là ! Personne ne franchira cette barrière ! »

— Si la *Foudre verte* existe réellement, commenta Théo, elle est sans doute derrière cette porte.

— Super ! maugréa Alexandre. Et comment allons-nous l'ouvrir ?

Chloé inspecta le couloir du regard.

— Cherchez autour de vous ! dit-elle. Il doit y avoir une clé quelque part !

Les Tigres eurent beau inspecter les moindres recoins, ils ne trouvèrent aucune clé dans le corridor.

— La porte n'a même pas de serrure ! nota soudain Alexandre. Il existe sûrement une autre astuce pour l'ouvrir.

1. **vantaux :** panneaux mobiles d'une porte.

Après avoir soigneusement examiné les têtes de monstres, Théo se rapprocha de ses amis et murmura :

— Il faut peut-être appuyer sur le nez, tirer une oreille ou glisser la main dans la gueule de l'une de ces créatures infernales.

— Si vous voulez essayer, allez-y, rétorqua Chloé avec une grimace de dégoût. Je ne m'y risquerai pas.

Gênés, Théo et Alexandre reconnurent qu'ils préféraient éviter, eux aussi, de toucher les sinistres sculptures.

— Attendez ! s'écria Théo. J'ai une idée.

Il tira un talkie-walkie de sa sacoche et l'introduisit lentement dans la gueule de l'une des figures de bois. À cet instant, une chose surprenante se produisit : les puissantes mâchoires du monstre se refermèrent brutalement et sectionnèrent l'appareil en deux.

Effrayé, Théo retira aussitôt sa main.

— Vous avez vu ça ? balbutia-t-il, pâle comme un linge. Et dire que j'ai failli mettre la main là-dedans.

Par prudence, les trois amis s'écartèrent de la porte.

Lorsque Théo remit le reste du talkie-walkie dans sa sacoche, ses doigts frôlèrent le papier orné d'un papillon qu'il avait découvert dans la carte de l'île.

— Hé ! mais cette peinture a peut-être un lien avec la porte ? s'exclama-t-il en montrant le morceau de papier à ses compagnons.

Chloé fit une moue de scepticisme.

— C'est un joli papillon. Il n'a rien à voir avec ces monstres abominables.

Alexandre contempla la peinture, puis relut la légende inscrite au bas de la petite feuille :

Alors que je m'adonnais à mon activité favorite – peindre les papillons –, j'ai découvert le Temple du tonnerre et son secret. Ceci est mon plus beau papillon. Plie-le et conserve-le bien. Il pourra – dans la bonne lumière – t'indiquer la voie.

— Regardez ! dit Alexandre en pointant le doigt vers le haut.

Un rayon de soleil venait de jaillir d'un minuscule trou dans le plafond du couloir et éclairait la porte.

— Comment ce morceau de papier pourrait-il nous aider ? s'enquit Chloé, pensive.

Alexandre s'apprêtait à replier la feuille lorsqu'il eut soudain une idée.

— Je sais quelle tête de monstre permet d'ouvrir la porte ! déclara-t-il avec fierté.

Question
Comment Alexandre a-t-il trouvé la solution ?
La tête de monstre permettant d'ouvrir la porte apparaît sur les ailes du papillon page 71.

Chapitre 14

Le secret du Temple du tonnerre

Chloé et Théo doutaient que la supposition de leur ami puisse être exacte. Mais Alexandre semblait sûr de lui. La tête de monstre peinte sur les ailes du papillon correspondait exactement à l'une des sculptures. Il était convaincu qu'il s'agissait d'un indice solide.

Alexandre respira profondément, puis s'avança vers l'imposante porte. Il tendit la main et, lentement, approcha ses doigts de la face démoniaque.

La gueule garnie de longues dents était grande ouverte, et Alexandre aperçut, à l'intérieur, une grosse langue qui ressemblait à une poignée.

Courageusement, il saisit la langue et l'abaissa.

Les lourds vantaux s'ébranlèrent avant de s'ouvrir en grinçant. Les Tigres poussèrent un soupir de soulagement.

— Bravo, Alex ! jubilèrent Chloé et Théo en chœur.

Ils félicitèrent leur ami pour son courage.

— Je n'aurais jamais pu faire ça, avoua Chloé avec admiration.

Au même moment, elle tourna la tête et aperçut ce qui se trouvait derrière les larges battants.

— C'est incroyable ! s'exclama-t-elle, stupéfaite.

Ce n'était pas une émeraude qui attendait les trois compagnons de l'autre côté de la porte, mais un merveilleux jardin luxuriant[1] qui s'étendait dans le cratère du volcan. Or, ce n'était pas un jardin ordinaire. Les brins d'herbe, les plantes et les fleurs qui y poussaient étaient aussi grands que des arbres.

— Attention ! s'écria Alexandre en découvrant une fourmi qui marchait à travers les énormes brins d'herbe.

De la taille d'un cheval, l'insecte paraissait terrifiant.

Un peu plus loin, les détectives virent une araignée porte-croix. Heureusement, elle n'avait pas remarqué les nouveaux arrivants et poursuivit son chemin. Une morsure de cette bête monstrueuse était certainement mortelle.

Théo repéra, à quelques mètres de là où il se tenait, une plante qui lui semblait familière. Il la dessina sur l'écran de sa tablette pour retrouver le nom de l'espèce.

Son petit ordinateur confirma ses soupçons.

— Cette fleur géante de couleur pourpre qui pousse là-bas, expliqua-t-il à ses amis, est une plante carnivore. Normalement, elle ne se nourrit que de moustiques, mais celle-ci pourrait facilement dévorer l'un de nous. Ses feuilles se referment avec une rapidité foudroyante sur sa proie pour l'emprisonner.

Chloé contemplait pensivement la végétation exubérante qui l'entourait. Elle finit par détacher le regard de cette mystérieuse forêt vierge et se tourna vers les garçons.

— C'était donc ça, le secret du Temple du tonnerre. Ça dépasse vraiment l'imagination. La Foudre verte est, en fait, un jardin fabuleux dans lequel les plantes et les animaux se développent de manière démesurée pour devenir énormes. Cet étrange phénomène est peut-être dû à des radiations ou à l'influence du volcan.

---

1. **luxuriant :** qui pousse en abondance et vigoureusement.

— Il ne faut pas que ce jardin tombe aux mains de gens mal intentionnés, ajouta Alexandre. Sinon, on risque de s'en servir pour créer un élevage de monstres ! Ce serait une arme redoutable ! Je comprends maintenant pourquoi le capitaine Cassard s'est donné tant de mal pour dissimuler sa découverte. Le secret doit rester bien gardé.

Les détectives entendirent soudain des pas derrière eux. Quelqu'un s'enfuyait en courant.

— Nous avons été suivis ! fit Théo. Vite, sortons. Nous devons rattraper ce fouineur !

Lorsque les Tigres regagnèrent le couloir, les lourds vantaux de la porte se refermèrent aussitôt derrière eux.

Sans hésiter, ils s'élancèrent à la poursuite du fuyard, et Théo rembobina le fil qu'il avait dévidé pour retrouver le chemin de la sortie. Mais, tout à coup, il ne sentit plus aucune résistance. Il s'arrêta, tira légèrement sur la ficelle et gémit :

— Oh, non ! on a coupé notre fil conducteur ! La personne qui nous observait veut apparemment que nous restions prisonniers du labyrinthe.

Les trois amis furent pris de découragement. Qu'allaient-ils faire à présent ?

Chloé s'efforça de garder la tête froide.

— Nous allons avancer lentement en essayant de nous souvenir par où nous sommes passés tout à l'heure, suggéra-t-elle.

Théo acquiesça.

— J'ai un morceau de craie dans ma sacoche. Aux embranchements, nous pourrons marquer les galeries que nous prendrons. Au moins, nous remarquerons assez vite si nous tournons en rond.

Ayant retrouvé espoir, les Tigres se remirent en route. Ils errèrent plus d'une heure dans le dédale de couloirs avant d'atteindre la pièce carrée où était gravé le plan du labyrinthe. Cette fois-ci, Théo prit le temps de le dessiner sur l'écran de sa tablette. En se relevant, il distingua quelque chose d'intéressant sur le sol. Dans la poussière qui recouvrait les dalles de pierre, il repéra des empreintes de chaussures qui n'appartenaient à aucun des Tigres.

Théo se mit à réfléchir. Cet indice pouvait-il lui permettre d'identifier la personne qui les avait suivis ?

Question
À ton avis, qui a suivi
les Tigres ?
Lola Lamar porte
des chaussures pointues
à semelles compensées.
Vérifie-le à la page 69.

Chapitre 15

Méfiance !

Une chose était sûre pour Chloé, Théo et Alexandre : ils ne devaient plus faire confiance à personne. Aussi vite que possible, ils sortirent du Temple du tonnerre, traversèrent le parvis, puis se dirigèrent vers l'étroit passage entre les deux rochers escarpés. Au moment où ils allaient s'engager dans le défilé, ils entendirent, non loin de là, des voix.

Alexandre fit signe à ses amis de s'arrêter. Les détectives se glissèrent alors derrière un gros bloc de pierre et se rapprochèrent avec précaution de l'endroit d'où provenait la discussion. Ce qu'ils découvrirent les stupéfia.

Trois personnes étaient réunies : l'homme aux cheveux gominés, son complice... et Lola Lamar. À l'évidence, ils étaient tous de mèche. L'attaque en mer n'avait été qu'une feinte orchestrée par Lamar dans le but de gagner la confiance des Tigres.

— Ils ne ressortiront pas vivants du temple, dit la traîtresse en souriant froidement. Un jour, on finira par découvrir leurs squelettes dans le labyrinthe.

— Et il n'y a aucune émeraude dans le temple ? s'étonna l'homme aux cheveux gominés.

Lamar lui raconta ce qu'elle avait vu dans le mystérieux jardin.

— Cette découverte peut donc t'intéresser, mon cher Walter, dit-elle pour conclure son récit.

Le dandy hocha la tête.

— En effet. Nous pourrions élever ici des insectes géants et des plantes tueuses pour les vendre, ensuite, comme des armes vivantes.

Alexandre, qui voyait ses craintes confirmées, ne put réprimer un cri de frayeur.

Les trois bandits l'entendirent et levèrent la tête vers les rochers derrière lesquels étaient cachés les jeunes détectives.

— Filons ! murmura Chloé en s'élançant vers le défilé.

Théo et Alexandre ne se firent pas prier et se précipitèrent derrière elle.

Aussitôt, leurs ennemis se jetèrent à leur poursuite.

— Attrape-les, Harry ! ordonna l'homme aux cheveux gominés. Ils ne doivent pas s'échapper !

Les Tigres dévalèrent le flanc du volcan en direction du rivage. Ils couraient à perdre haleine et pourtant, peu à peu, le sbire de Lamar gagnait du terrain.

Lorsqu'ils parvinrent au carrefour avec les flèches de pierre, Théo prit le sentier qu'ils n'avaient pas encore exploré.

Alexandre et Chloé voulurent l'en empêcher, mais il leur fit comprendre qu'il avait un plan. Il poursuivit sa course quelques instants, puis tira brusquement ses amis derrière un rocher qui se dressait au bord du chemin. Les adolescents se recroquevillèrent[1] pour ne pas être vus.

1. **se recroquevillèrent :** se replièrent sur eux-mêmes.

L'homme à la mine patibulaire[1] qui se prénommait Harry passa près d'eux sans ralentir l'allure et disparut au détour du sentier. Une poignée de secondes plus tard, les Tigres l'entendirent pousser un cri effrayé.

— Nous devons aller voir ce qui lui est arrivé ! dit Théo.

Les trois compagnons suivirent la piste du bandit. Peu après, ils atteignirent un vieux pont de cordes franchissant un précipice, au fond duquel coulait une rivière. Aux deux extrémités de la passerelle tremblante, les planches du tablier[2] s'étaient cassées et étaient tombées dans l'eau. Cramponné aux cordages, Harry se tenait en équilibre sur les cinq lattes du milieu restées intactes. Il jetait des regards effrayés vers le fond du gouffre.

Théo vit que la rivière en contrebas grouillait de poissons. Il reconnut aussitôt de quelle espèce il s'agissait : des piranhas. Harry avait toutes les raisons d'avoir peur, car une chute pouvait lui être fatale.

— Il va mettre un certain temps à regagner la terre ferme, constata Chloé. Profitons-en pour aller voler le bateau de Lamar et retourner à Grande Canarie.

Les Tigres rebroussèrent chemin et reprirent la direction du rivage. En arrivant au pied du volcan, ils tombèrent nez à nez avec Pietro Mancuso.

— Dieu soit loué ! s'écria celui-ci. Je vous ai enfin retrouvés ! Comment avez-vous pu faire confiance à cette femme ?

Perplexes[3], les trois amis s'arrêtèrent et échangèrent des regards hésitants. Ils ne savaient pas comment réagir. Le soi-disant reporter faisait peut-être partie de la bande lui aussi !

---

1. **patibulaire :** qui inquiète et n'inspire pas confiance.
2. **tablier :** partie horizontale d'un pont.
3. **perplexes :** qui hésitent.

— Comment expliquez-vous que personne ne vous connaisse à *La Gazette du soir* ? demanda soudain Théo avec un air de défi.

— Parce que je n'y travaille pas, avoua Mancuso. En rédigeant un article sur votre aventure, je souhaite convaincre le rédacteur en chef que je suis un bon journaliste.

— Pouvez-vous prouver que vous vous appelez réellement Pietro Mancuso et que vous êtes bien reporter ? s'enquit Chloé. D'après votre nom, vous êtes d'origine italienne, non ?

L'homme acquiesça.

— Mes parents sont italiens. Ils tiennent une pizzeria à Paris. C'est là-bas que j'ai grandi. Pour vous prouver ma bonne foi, je peux vous montrer ma carte de presse.

Mancuso fouilla les poches de son pantalon.

— Euh… j'ai dû la perdre en arrivant à Grande Canarie, bredouilla-t-il d'un air penaud[1].

— Et comment peut-on vous faire confiance ? rétorqua Chloé en fronçant les sourcils.

1. **penaud :** honteux et confus.

Question
Crois-tu Pietro Mancuso digne de confiance ou appartient-il à la bande de truands ?
Le reporter a effectivement perdu sa carte de presse. Tu peux t'en assurer aux pages 52-53.

Mes notes d'enquête

Chapitre 16

Affaire résolue ?

— Ils sont là, Walter !

Les Tigres reconnurent aussitôt la voix de Lola Lamar. Les deux escrocs étaient toujours à leurs trousses.

— Vite, partons ! ordonna Pietro Mancuso.

Le reporter conduisit Chloé, Alexandre et Théo jusqu'au petit bateau avec lequel il avait gagné l'île. Tous les quatre se dépêchèrent de monter à bord. Mancuso démarra et mit les gaz à fond.

Les détectives avaient échappé de justesse à leurs poursuivants. Quelques secondes plus tard, Lamar et l'homme aux cheveux pommadés arrivaient sur la plage. En voyant l'embarcation s'éloigner, ils levèrent les poings de rage.

— Zut ! pesta Chloé. Ils vont nous prendre en chasse.

Mancuso la regarda en souriant.

— Impossible, répondit-il. J'ai sectionné[1] les conduites d'essence de leurs hors-bord. Ils sont coincés sur l'île.

— Mais comment pouvons-nous les empêcher d'élever des plantes tueuses et des insectes monstrueux ? demanda Théo, inquiet.

Alexandre proposa de prévenir la police, mais ses amis pensaient que c'était inutile.

1. **sectionné :** coupé net.

— Ils n'ont encore commis aucun crime, objecta Chloé. Ce n'est qu'un plan.

En arrivant au port de Las Palmas, Mancuso se rendit tout de même à la capitainerie[1] pour annoncer que trois personnes suspectes se trouvaient sur la petite île du temple.

1. **capitainerie :** bureau et service du capitaine d'un port.

Le lendemain matin, dans le hall de l'hôtel, nos jeunes détectives apprirent, en lisant le journal, qu'ils avaient aidé la police à arrêter trois dangereux trafiquants d'armes recherchés depuis longtemps.

Mais, pour le Club des tigres, l'affaire n'était pas encore tout à fait close. Une question cruciale restait encore à éclaircir.

— Monsieur Mancuso, allez-vous révéler le secret du Temple du tonnerre dans votre article ? demanda Chloé au reporter, tandis qu'ils attendaient un taxi pour rejoindre l'aéroport.

Le journaliste secoua vivement la tête.

— Hors de question. J'écrirai que le capitaine Cassard s'est autorisé une petite farce et qu'en réalité l'île n'abrite aucun trésor, seulement des serpents venimeux et des insectes très dangereux. Cela devrait dissuader d'éventuels curieux d'aller mettre les pieds là-bas.

— Génial ! s'exclamèrent les détectives, soulagés. Merci beaucoup !

Ainsi, le secret du Temple du tonnerre ne serait pas ébruité et l'extraordinaire jardin du volcan ne tomberait pas entre de mauvaises mains. Les trois amis se jurèrent de n'en parler à personne.

— Le vieux capitaine avait vraiment bien protégé sa découverte, remarqua Mancuso.

— Ce qui n'a pourtant pas empêché le Club des tigres de résoudre toutes ses énigmes ! lança Théo avec fierté.

Chloé, Alexandre et ce dernier avaient une fois de plus fait honneur à leur nom. Ensemble, ils étaient forts, astucieux et agiles comme un tigre. Heureux, ils rirent aux éclats et chantèrent en chœur :

Nous sommes le Club des tigres,
Et nous sommes incomparables
Pour élucider les énigmes
Les plus indéchiffrables,
Hourra !

Pietro Mancuso sourit avec bienveillance, persuadé qu'on ne vivait pas semblable aventure plus d'une fois dans une vie.

Mais l'avenir devait lui donner tort. Quelque temps plus tard, Chloé allait découvrir un esprit frappeur[1] dans un haras[2], et une nouvelle affaire commencerait alors pour le Club des tigres…

---

1. **esprit frappeur :** fantôme, revenant.
2. **haras :** lieu où l'on élève des chevaux.

Achevé d'imprimer en Roumanie par G. Canale Bucarest
Dépôt légal : Février 2015 - Édition 02 - 17/0108/5